Dieses Buch gehört

....

Für meinen jüngsten Sohn, Nathan, der von klein an sehr an meiner Arbeit interessiert war und mich zum Schreiben dieser Geschichte inspiriert hat.

Originalausgabe Harry the Highlander erschien als Taschenbuch in Großbritannien 2014

Deutschsprachige Ausgabe erstmals veröffentlicht 2015
Neuauflage 2016

Design: County Studio International Ltd

Printed in China

Herausgegeben von
GW Publishing
PO Box 15070
Dunblane
FK15 5AN

www.gwpublishing.com

ISBN 978-0-9570844-8-3

Harry
der Highlander

Das Tal hinauf

Geschrieben von Cameron Scott Illustriert von Cee Biscoe

Aus dem Englischen von Johanne Ostendorf

Harry sah traurig zu, wie sich seine Mutter auf den Weg zur Highland Show machte.

Und obwohl sie noch zu sehen war, vermisste er sie schon.

Sie würde an einem **GROSSEN** Wettbewerb für die am besten aussehende Kuh teilnehmen, und Harry war überzeugt, dass sie mit ihrem wunderschönen Fell den **Hauptpreis** gewinnen würde.

Harry war ein tapferes kleines Kalb. Er hatte seiner Mutter versichert, sie brauche sich keine Sorgen zu machen, er würde einfach mit den anderen Kälbern auf der Weide spielen.

Aber Harry gehörte zur Rasse der **HIGHLAND KÜHE** mit einem richtig **zotteligen** Fell und sah daher nicht so aus wie die anderen Kühe.

Da er anders aussah, wollten sie nicht mit ihm spielen. Somit trottete Harry in die hinterste Ecke der Weide, um allein zu sein.

Da sonst keiner in diese Ecke der Weide kam, hatte auch niemand das Loch in der Mauer bemerkt.

Harry sah, dass dies seine Chance war, den unfreundlichen Kühen zu entkommen und vielleicht sogar irgendwo freundliche zu finden... die so waren wie er.

Er **kletterte** durch das Loch in der Mauer und machte sich auf den Weg das Tal hinauf.

Es dauerte nicht lange und er traf auf eine klitzekleine braune Maus, die ziemlich traurig aussah.

„Hallo", sagte Harry. „Warum bist du so niedergeschlagen?"

Der kleine Mäuserich erzählte ihm, dass seine Schnurrhaare zu lang und **stachelig** seien und die anderen Mäuse **kitzelten**, wenn sie versuchten zu schlafen.

Er durfte nicht mehr bei ihnen schlafen. Daher hatte der klitzekleine Mäuserich beschlossen, nach Freunden zu suchen, denen seine langen Schnurrhaare nichts ausmachten.

„Also, wenn du möchtest", sagte Harry, „kannst du mit mir kommen."

„Mein Fell ist so **dick**, dass mich deine Schnurrhaare nicht *kitzeln* werden."
Die Maus huschte auf Harrys Rücken und die beiden Tierkinder gingen weiter das Tal hinauf.

Als sie sich an einem Flussufer ausruhten, hörten sie seltsame **SQUAK-SQUAK** Laute. Ein bezauberndes kleines Entenküken schwamm ganz mutterseelenallein den Fluss hinauf.

„Hallo", sagte Harry.
„Wo willst du hin?"

Das kleine Entlein erzählte ihnen, dass die anderen Enten nicht wollten, dass es sang, da es nicht richtig quaken konnte. Deshalb watschelte es davon, um alleine zu singen. „Also, wenn du möchtest", sagte Harry, „kannst du mit uns kommen. Wir würden dir gerne zuhören."

Die drei neuen Freunde gingen weiter das Tal hinauf. Dabei sangen und SQUAKTEN sie auf ihrem Weg.

Harry erzählte seinen neuen Freunden gerade, wie unfreundlich die anderen Kühe ihn behandelt hatten, als sie auf einen kleinen, scheuen Fuchswelpen trafen, der unter einem alten Baum saß.

„Hallo", sagte Harry. „Warum sitzt du hier ganz allein?"

Der kleine Fuchs sagte,
dass die anderen Füchse
nicht zusammen mit ihm fressen
wollten, da seine lange Schnauze
ihnen ständig in die Quere käme. Somit hatte er
beschlossen, sich auf die Suche nach Freunden
zu machen, denen es nichts ausmachte, wie
lang seine Schnauze war.
„Also", sagte Harry, „uns stört sie
überhaupt nicht."
Und die vier ungleichen Freunde
wanderten noch weiter das
Tal hinauf.

Je höher sie kamen, desto kälter wurde es und jeder drängte sich eng an Harry. Als sie um einige große Felsbrocken herumgingen, stießen sie plötzlich mit einem recht seltsam aussehenden Geschöpf zusammen.

squak

„Oh, Entschuldigung", sagte die tollpatschige kleine Ziege. „Ich **StOLPERE** immer in irgendwas hinein."

„Kein Problem", antwortete Harry.

„Warum bist du denn hier so hoch oben?"

„Die anderen Ziegen sagen, dass ich zu tollpatschig sei und ihnen aus dem Weg gehen soll."

„Komm' mit uns", sagte Harry. „Uns ist es egal, wenn du uns **anREMPELSt**."

Der Wind blies nun noch schärfer und die fünf ungewöhnlichen Freunde drängten noch enger zusammen, als sie weiter voran zum oberen Teil des Tals stapften.

Als sie oben ankamen, war es inzwischen **BITTERKALT** geworden. Es wurde auch dunkel und die Freunde waren jetzt sehr müde.

„Es ist zu spät, um wieder ins Tal zurückzukehren", sagte Harry. „Wir suchen uns besser einen sicheren, warmen Platz für die Nacht."
Schon bald fanden sie eine kleine Höhle, die gerade groß genug war, um sich hineinzuquetschen und dort **dicht gedrängt** Schutz vor der Kälte zu finden.

Harry erzählte ihnen, wie glücklich er sei, so viele neue Freunde gefunden zu haben. „Ich glaube, dass wir alle ein bisschen anders sind", sagte er, „aber das macht nichts."

Es dauerte nicht lange und alle schliefen tief und fest.

Eng an Harry gekuschelt hielt sein **dichtes**, **zotteliges** Fell sie mollig warm.

Während sie fest schliefen, schneite es... und schneite es... und schneite es. Ganz fest an Harry geschmiegt waren die Tiere in der Höhle warm und sicher, aber...

...als sie am nächsten Morgen aufwachten, war es überall weiß... überall – nur nicht in der Höhle, in der war es noch dunkel.

Der Schnee hatte sich vor dem Eingang der Höhle aufgetürmt und sie darin eingeschlossen.

Der kleine, scheue Fuchs richtete sich auf.

Er schnüffelte und schnüffelte, um mithilfe seiner Nase den Höhleneingang zu finden.

Dann stocherte & stocherte er mit seiner **langen** Nase, bis er ein kleines Loch nach draußen gemacht hatte.

„Gut gemacht!", lobte Harry.

„Du bist ein richtig **kluger Fuchs**."

Draußen war alles mit Schnee bedeckt.

Obwohl es richtig **märchenhaft** aussah und
sie alle für eine Weile im Schnee spielen wollten,
entschieden die fünf Freunde, sich lieber auf
den Heimweg zur Farm zu machen.

Auf ihrem Weg zurück ins Tal kamen sie an einen sehr breiten Fluss.

„Seht doch, die Brücke ist **kaputt!**", rief die klitzekleine Maus. „Ich kann nicht ans andere Ufer schwimmen."

„Ich auch nicht", klagte das kluge Füchslein. „Wir würden weggespült werden." Aber die tollpatschige kleine Ziege hatte eine Idee!

Sie **kaute** und **kaute** und **kaute** auf dem Tau der alten Brücke herum, bis sie es durchgebissen hatte.

„Was für eine **schlaue Ziege**", meinte Harry. „Aber wie soll uns das helfen, auf die andere Seite zu kommen?", fragte er.

„Ich hab' eine Idee!",
rief das kleine Entlein,
nahm das Tauende
in den Schnabel
und sprang damit
ins Wasser.

Sie **planschte** und **spritzte**, sie **plätscherte**
und **strampelte** und erreichte schließlich das
andere Ufer.

„Du bist ein **mutiges
Entlein!**", rief Harry,
als sie das Tau, so
fest wie sie
konnte, um
einen großen
Felsbrocken
wickelte.

Dann huschte zuerst die klitzekleine braune Maus über das Seil.

Danach hielt
sich Harry am Tau
fest und die schlaue Ziege
sowie der nicht-mehr-so-scheue Fuchs
hielten sich an ihm und aneinander fest und
schwammen vorsichtig hinüber.

Dort schüttelten sie alle ganz tüchtig ihr
Fell. Harry schüttelte sein **zotteliges** Fell ganz
besonders ausgiebig, denn es war so **dicht** und
vollgesogen mit Wasser.
„Welchen Weg nehmen wir jetzt?", fragte er, als
sie die Wand aus Bäumen vor sich sahen.

Plötzlich huschte die klitzekleine braune Maus
hinauf in die Krone des höchsten Baumes.

„Ich kann eine Farm sehen!",
rief sie. „Ich kann euch den
Weg dorthin zeigen."

Dann kletterte das **wagemutige Mäuschen**
auf Harrys Rücken und führte die Freunde
durch den Wald ins Tal hinab.

Harrys Mutter hatte schon gewartet und war überglücklich, ihn zusammen mit seinen neuen Freunden zu sehen.

„Wir sind alle ein bisschen anders, aber das macht uns zu etwas Besonderem", erklärte sie. „Wenn man freundlich ist, wird man immer neue Freunde gewinnen."

Und damit war der Farmer einverstanden, dass sie alle bei Harry auf der Farm bleiben konnten.